Y Stelciwr

I Meinir Jones,
am gropian i fyny Moelyci efo fi.

Y Stelciwr

Manon Steffan Ros

Diolch i bawb yn y Lolfa,
yn enwedig Meinir a Lefi

ISBN: 978 1 78461 378 5
Argraffiad cyntaf: 2017

Mae'r prosiect Stori Sydyn/Quick Reads yng Nghymru
yn cael ei gydlynu gan Gyngor Llyfrau Cymru
a'i gefnogi gan Lywodraeth Cymru.

Argraffwyd a chyhoeddwyd gan
Y Lolfa, Talybont, Ceredigion SY24 5HE
gwefan www.ylolfa.com
e-bost ylolfa@ylolfa.com
ffôn 01970 832 304
ffacs 832782

PENNOD 1

3.17

MAE'R GOLAU YN EI llofft yn dod ymlaen. Mae'r llenni ynghau, ond maen nhw'n rhai tenau, felly mi fedra i weld y golau drwyddyn nhw. Dwi'n gwylio am ychydig, ac yn ei gweld hi'n sefyll y tu ôl i'r llenni, yn sbecian allan ar y stryd. Dwi'n gweld pob dim. Pob. Un. Dim.

Dydi hi ddim yn fy ngweld i, wrth gwrs. Y rheol gyntaf os ydych chi eisiau gwylio rhywun drwy'r ffenest ydi diffodd y golau. Mae gen i lenni net hen ffasiwn, ond dwi'n gallu gweld drwyddyn nhw. Mae gan y rhan fwyaf o'r tai ar ein stryd ni lenni fel yna, felly dwi ddim yn edrych yn od.

Ar ôl munud neu ddau, mae hi'n symud o'r ffenest ac yn diffodd y golau. Mae ei thŷ yn hollol dywyll eto. Tybed beth wnaeth ei deffro hi mor hwyr yn y nos? Pam roedd hi'n edrych drwy'r ffenest?

Dwi'n ei dychmygu yn dringo i mewn i'r gwely ac yn mynd yn ôl i gysgu, gan orwedd ar ei hochr, ei phengliniau wedi eu tynnu'n uchel at ei bol, fel babi yn y groth. Fel arfer, mae'n gwisgo shorts byrion a hen grys-T yn y gwely. Mae'n darllen am ryw ddeg munud cyn mynd i gysgu, ac yna mae'n cysgu o tua 11.10 tan 6.50 y bore. Wedyn, bydd hi'n cael cawod am ryw saith munud, yn cael coffi a miwsli neu dost a jam mafon i frecwast, ac yn gadael y tŷ i fynd i'r gwaith am 8.17 bob bore. Mae'n dod adre am 18.05, er ei bod hi tua hanner awr yn hwyrach ar nos Lun a nos Iau, pan fydd hi'n mynd i'r siop i brynu bwyd ac yn y blaen.

Fel rheol, fydd hi ddim yn codi ganol nos, felly mae unrhyw symudiad ganddi am 3.17 yn anarferol.

Mae ei hamserlen yn fy siwtio i'n berffaith, a dweud y gwir, achos mae gen i amser i newid, bwyta, a gwneud fy ngwaith cyn iddi ddod adre. Dwi'n gweithio o adre, 'dach chi'n gweld, ar y cyfrifiadur, felly does dim rhaid i mi golli dim byd. Dwi'n mynd yn syth i'r llofft fach, yn eistedd yn y gadair fawr wrth y ffenest, ac yn gwylio. Mae gen i degell yn y llofft fach, a chamera, a blanced i 'nghadw i'n gynnes os ydi hi'n oer yn ystod y nos. Mae Sali, y gath, yn eistedd efo fi, yn cadw cwmni i mi. Mae hi'n dlws – cath gwbl wen ydi hi, efo llygaid gleision – ac rydw i'n ei charu hi'n fwy na dim byd arall yn y byd. Mae hi eisiau bod efo fi o hyd.

Mae'n wastraff, a dweud y gwir, cael tŷ mawr fel hyn i ddim ond Sali a fi – cegin ac ystafell fyw a dwy lofft ac ystafell molchi. Dwi'n treulio fy amser i gyd yn y llofft fach yma, achos dyma lle mae'r olygfa orau i mewn i dŷ Einir.

PENNOD 2

8.28

Dwi'n gadael y tŷ i fynd i'r siop. Gadawodd Einir tua chwarter awr yn ôl. Heddiw, roedd hi'n gwisgo trowsus du, ei chôt law werdd, a bwtsias duon. Roedd ei gwallt wedi ei glymu ar gefn ei phen, ac roedd hi'n cario'i bag lledr brown. Wrth basio ffenest ei chegin i fynd at fy nghar, gallaf weld ei bod hi wedi gadael ei brecwast ar ei hanner – miwsli heddiw – ac mae'r fowlen wrth y sinc. Mae'n bwyta miwsli bob dydd o ddydd Llun i ddydd Gwener, yn cael tost ar ddydd Sadwrn, ac yn aml yn cael dim byd ar ddydd Sul. Yn aml, ar ddyddiau Sul, mae'n aros yn ei gwely tan ar ôl 11, ac yn aros tan amser cinio cyn bwyta.

Yn y siop dwi'n prynu bara, menyn, wyau, llefrith ac afalau. A bwyd cath i Sali, wrth gwrs. Mae'r ddynes y tu ôl i'r til yn trio cynnal sgwrs am y tywydd, ond dwi'n ei hanwybyddu'n llwyr. Mae ganddi luniau bach, bach o sêr ar ei hewinedd hirion, ac maen nhw'n f'atgoffa i o ewinedd gwrach.

Mae'n siŵr mai ewinedd plastig ydyn nhw, ond dwi'n eu dychmygu nhw'n crafu'n galed ac yn filain, a fedra i ddim edrych ar wyneb y ddynes.

Dwi oddi cartre am lai na hanner awr, ond mae hyd yn oed hynny'n ormod. Dwi'n mynd i fyny'r grisiau at fy nghyfrifiadur ac yn dechrau gweithio, a ffenestri tŷ Einir yn syllu'n ddall arna i dros y lôn.

Tybed beth wnaeth iddi godi am 3.17 y bore 'ma?

18.07

Mae hi'n cael trafferth parcio. Mae'r dyn o rif 7 wedi cymryd ei lle arferol hi efo'i 4x4 mawr, ac mae hi'n gyrru'n araf heibio'r cerbyd. Dwi'n ei gweld hi'n ochneidio. Mae hi'n gorfod parcio ym mhen pellaf y stryd a cherdded i fyny gan gario'i bag, a'r bag ychwanegol sydd ganddi yn llawn nwyddau siopa. Mae golwg flinedig arni, ac mae'r minlliw oedd ar ei gwefusau y bore 'ma wedi pylu. Dwi'n ei gwylio hi'n cerdded yr holl ffordd ar ei phen ei hun, yn teimlo fy hun yn gwylltio. Mae'r dyn yn rhif 7 yn un drwg am gymryd lle parcio Einir.

Dwi'n ei gwylio hi'n paratoi ei swper drwy ffenest ei chegin wrth i mi fwyta afal, wy a thost i'm swper fy hun. Mae hi ar ddeiet, wedi bod ar ddeiet ers y dechrau, ond mae'n cael cyfnodau o fwyta'n afiach. Fel arfer, fel heno, bydd hi'n coginio bwyd iach, ac yn mesur pob dim. Ond mae'n cael wythnosau cyfan o fyw ar bitsa a sglodion a bwyd parod. Dwi'n siomedig pan mae hi'n bwyta sothach fel yna.

Heno, mae'n agor potyn o gawl parod ac yn ei gynhesu yn y meicrodon. Mae'n rhaid i mi estyn y sbienddrych i weld pa fath o gawl yn union. Moron a choriander. Ei ffefryn. Er, mae hi'n hoffi cawl tomato o dun hefyd. Mae'n cario'r cawl i'r ystafell fyw, a fedra i ddim gweld wedyn, achos bod yr ystafell fyw yng nghefn y tŷ. Dwi'n casáu hynny.

Gwell i mi ddweud wrthoch chi am Einir.

Mae'n 32 mlwydd oed. Mae'n cael ei phen-blwydd ar Ionawr y 19eg, sy'n ei gwneud hi'n Gapricorn (penderfynol, uchelgeisiol). Aeth i Ysgol Bro Ffridd, ac yna i Ysgol Uwchradd yr Hafod. Ar ôl hynny, fe aeth i'r coleg yn Llundain i gael ei hyfforddi fel nyrs ac arhosodd yn y ddinas i weithio am rai blynyddoedd. Roedd hi'n byw efo'i chariad bryd hynny – dyn tal, diflas, sydd bellach yn llenwi ei wefannau cymdeithasol gyda lluniau o'i wraig dlws a babis bach bochgoch. Daeth Einir i fyw i'r tŷ bychan yma ym Mangor dair blynedd yn ôl. Mae tair blynedd yn amser hir i fyw ar eich pen eich hun.

Wnes i ddim sylwi arni'n syth. Rydan ni'n byw ar y math o stryd lle does neb yn nabod ei gilydd, a doeddwn i ddim yn talu fawr o sylw i unrhyw un yr adeg honno. Roeddwn i'n dal i feddwl am genod eraill.

Ond yna, un noson, ar ôl i mi fod yn y gampfa, dychwelais adre a'i gweld hi'n eistedd ar garreg ei drws dros y lôn i mi. Roedd hi'n gwisgo ffrog fach las a siaced ledr, a sodlau uchel am ei thraed.

Roedd rhywbeth amdani, yn ei hwyneb hi. Dwn i ddim beth oedd o. Doeddwn i ddim yn hoff o'r dillad na'r gwallt na'r colur oedd yn drwch ar ei hwyneb, ond roedd rhywbeth am y ffordd roedd hi'n eistedd yno, yn syllu ar y pafin, a wnaeth i mi dynnu anadl ddofn. Roedd hi'n fregus, rywsut. Yn bathetig, yn eistedd ar garreg ei drws, fel merch 15 oed, nid dynes yn ei thridegau. Teimlwn 'mod i'n ei nabod hi o rywle.

Roedd hi angen cael ei hachub.

'Popeth yn ocê?' gofynnais, gan obeithio ei bod hi'n siarad Cymraeg. Edrychodd i fyny arna i, fymryn yn betrus, ac felly ychwanegais, 'Dwi'n byw yn rhif 27.'

'O!' Cododd y ferch ar ei thraed. 'Wedi cloi fy hun allan ydw i. Mae'n wirion bost! Dwi'n meddwl bydd rhaid i fi fynd at yr heddlu.'

'O, reit. Wel, mi gei di ddefnyddio fy ffôn i ffonio saer cloeon os wyt ti isio…'

'Ffonio saer?'

'Saer cloeon. *Locksmith*.'

Gwenodd y ferch wedyn, a theimlais fy hun yn cynhesu ar oerni'r pafin. Sut oeddwn i wedi gallu byw dros y lôn i hon cyhyd, a pheidio â sylwi arni? Tynnodd ei siaced yn dynn amdani, fel petai'n gwybod ei bod hi'n dangos gormod o gnawd.

'Bydd hynna'n costio ffortiwn, bydd?'

'Oes gen ti ffenestri'n agored yn y cefn?'

'Dwi'n meddwl 'mod i 'di gadael ffenest y llofft gefn ar agor. Mae'n mynd yn damp os dwi'n ei chau hi…'

'Wel, mi fedra i nôl ysgol o'r cwt yn y cefn, a dringo drwy'r ffenest i agor y drws, os lici di.'

Syllodd y ferch arna i am ychydig, ei llygaid fel marblis. Roedd y colur du o gwmpas ei hamrannau wedi mynd yn flêr, fel petai rhywun wedi tynnu ei llun hi efo pensil lliw. 'Neu gei di ffonio dy fêts os ti isio.'

Ysgydwodd y ferch ei phen, fel petai wedi penderfynu ymddiried ynof fi. 'Sori. 'Sa chdi'n gallu dringo drwy'r ffenest, 'sa hynna'n grêt. 'Swn i'n ei wneud o fy hun, ond dwi 'di cael gormod o win. Einir dwi, gyda llaw.'

Ymhen dim, roeddwn i'n pwyso'r ysgol yn erbyn wal gefn ei thŷ, ac yn dechrau dringo. Safodd Einir ar y gwaelod yn dal yr ysgol, ac yn murmur, 'Diolch am hyn. Go iawn rŵan. Diolch o galon am hyn i gyd.'

Roedd y ffenest yn reit fach, ond llwyddais i lithro i mewn drwyddi. Gwyddwn nad oedd amser i edrych o gwmpas, ond roedd hi'n amhosib peidio taro fy mhen o gwmpas y drysau er mwyn cael golwg go iawn ar yr ystafelloedd i gyd.

Y llofft gefn: gwely sbâr oedd yn edrych fel pe na bai neb wedi cysgu ynddo ers talwm. Arogl llwydni. Silff lyfrau yn llawn DVDs.

Yr ystafell molchi: teils gwyn ym mhob man, a llanast o golur o flaen y drych. Brwsh dannedd oren, siampŵ a *conditioner* drud.

Y llofft flaen: llofft Einir. Gwely heb ei gweirio. Rhai dillad ar y llawr o flaen y teledu. Mynydd o lyfrau'n flêr wrth y gwely. Brwsh gwallt ar y cwpwrdd dillad. (Ymestynnais am hwnnw'n sydyn, a rhwygo'r gwallt oedd wedi ei glymu rhwng y dannedd, cyn ei blygu'n fach a'i roi yn fy mhoced. Ar ôl mynd adre, rhoddais y gwallt mewn amlen yn fy nesg.)

Y grisiau: lluniau canfas du a gwyn o Efrog Newydd. Dim llawer o chwaeth o ran celf.

Y gegin: taclus ond llawn, a'r bwrdd bach yn gwegian dan bwysau pethau o'r siop oedd eto i'w tacluso i'r cypyrddau.

Yr ystafell fyw: soffa fawr gysurus yr olwg, teledu anferth, papur wal blodeuog a goleuadau bychain, siâp calon yn crogi ar hyd y wal. Ystafell orau'r tŷ. Roedd gwydr gwin hanner gwag ar ganol y bwrdd coffi, a phâr o slipars porffor ar ganol y llawr.

Roedd Einir yn aros amdana i pan agorais y drws iddi o'r tu mewn. Roedd Sali'n rhwbio'n erbyn ei choesau, ei chynffon yn cyrlio'n uchel.

'O mam bach, diolch! Dwi wir yn

gwerthfawrogi hyn, 'swn i 'di bod yn styc fel arall!'

Gwenais arni. 'Mae'n iawn, siŵr. 'Sa'n syniad i ti guddio goriad rownd y cefn yn rhywle. Jyst rhag ofn.' Nodiodd Einir yn frwd. 'Ti wedi cwrdd â Sali, dwi'n gweld.'

'O, chdi sy bia'r gath? Ma hi'n lyfli!' Gwenodd yn llydan arna i, ond roedd hi'r math o wên mae rhywun yn ei rhoi pan maen nhw'n trio plesio. Roeddwn i wedi gweld yr un wên gan ferched gannoedd o weithiau cyn hyn.

'A' i rownd i'r cefn i nôl fy ysgol, os ydi hynny'n iawn.'

Roedd tawelwch chwithig wedyn, a dwi'n meddwl ei bod hi'n trio penderfynu a oedd hi am ofyn i mi aros am baned neu lasiad o win.

Arhosais.

'Ocê,' atebodd o'r diwedd. 'Diolch yn fawr i ti eto. Dwi wir yn gwerthfawrogi.'

Ar ôl mynd â'r ysgol yn ôl i'r cwt a chamu i mewn i'r gawod yn y tŷ, sefais yn llif y dŵr berwedig, a'r pigau bach poeth yn poeri ar fy nghroen a'm gwallt. Pam nad oedd hi wedi gofyn i mi aros? Ystyriais y peth yn fanwl. Roedd sawl posibiliad:

1. Doedd hi ddim fy eisiau yn ei thŷ. Er bod

hyn yn bosib, doedd o ddim yn teimlo'n debygol i mi. Wedi'r cyfan, roeddwn i wedi ei hachub hi. Doedd ganddi ddim rheswm yn y byd i beidio fy licio i.

2. Roedd hi'n teimlo cywilydd fod ei thŷ yn eithaf blêr, neu nad oedd ganddi lefrith i wneud paned. Rhywbeth ymarferol felly.

3. Roedd hi'n teimlo'n euog am ei bod hi wedi cymryd digon o fy amser yn barod.

4. Roedd hi'n aros am gwmni rhywun arall.

5. Roedd hi'n gweld fy mod i ar fy ffordd adref o'r gampfa, ac yn meddwl y byddai'n well gen i fod ar fy mhen fy hun.

Roeddwn i'n siŵr mai cyfuniad o rifau 3 a 5 oedd y rhesymau go iawn. Ond fedrwn i ddim peidio â theimlo fymryn yn ddig nad oedd hi wedi cynnig, hyd yn oed. Wedi'r cyfan, roeddwn i wedi gwneud tro da â hi. Beryg mai eistedd ar garreg ei drws fyddai hi o hyd heb fy help i! Roeddwn i'n haeddu gwerthfawrogiad. Roedd arni hi ffafr i mi.

* * *

Ganol nos, tua 4 y bore i fod yn benodol, deffroais, gan gofio ble roeddwn i wedi ei gweld hi o'r blaen. Peth ryfedd ydi o, cofio mor sydyn yn eich cwsg fel 'na. Efallai 'mod i wedi bod yn breuddwydio amdani.

Codais fy ffôn o'r bwrdd bach wrth y gwely, ac agor yr ap. Ar ôl ychydig o chwilio, dyna hi – Einir, y ddynes dros y lôn, mewn llun oedd yn ei dangos yn dalach ac yn deneuach nag oedd hi mewn bywyd go iawn. (Llun wedi'i dynnu o'r tu ôl oedd fy llun proffil i. Fedrai neb ddweud dim amdana i heblaw 'mod i'n ddyn gyda gwallt tywyll, byr.) Darllenais y manylion ar ei phroffil – tridegau cynnar, byw ym Mangor, yn chwilio am berthynas – a gwenais yn araf. Am gyd-ddigwyddiad! Y ddau ohonom ar yr un ap, yn chwilio am gariad! Roedd y peth yn berffaith.

PENNOD 3

7.37

MAE RHYWBETH YN DIGWYDD allan ar y stryd.

Y dyn o rif 7 sy'n dechrau'r cyfan. Mae o'n dod allan o'i dŷ ar frys i fynd i'w 4x4 ac i'r gwaith, ond mae'n stopio'n stond wrth weld ei gar. Dwi'n gweld ei geg yn llunio rheg, ac mae'n rhedeg ei fysedd drwy ei wallt golau. Dwi'n gwenu.

Mae'r hyn mae o'n ei wneud nesaf yn annisgwyl. Mae'n troi ar ei sawdl ac yn cnocio'r drws agosaf ato, sef drws Einir. Dwi'n eistedd i fyny yn fy nghadair. Be ddiawl mae o'n feddwl...?

Mae Einir yn ateb y drws, ei gwallt yn dal i fod yn wlyb ar ôl ei chawod foreol. Mae rhywbeth y tu mewn i mi'n llamu wrth ei gweld, er ei bod hi'n edrych fymryn yn wirion yn ei dillad gwaith a'i slipars porffor.

Fedra i ddim clywed beth mae'r ddau yn ei ddweud, ond dwi'n gallu darllen eu sgwrs o'u cyrff. Dydi'r dyn o rif 7 ddim yn ymosodol – mae o eisiau gwybod a welodd

Einir rywbeth neithiwr. Mae hi'n edrych ar ei gar, ac yn rhoi ei llaw dros ei cheg mewn syndod. Mae'r ddau'n ysgwyd eu pennau ac yn rhannu ffieidd-dra tuag at bwy bynnag sydd wedi difrodi'r 4x4.

(Defnyddiais gorcsgriw i grafu'r car, am ei fod o'n hawdd ei guddio i fyny fy llawes ac yn ddigon miniog i grafu'r metel, nid y paent yn unig. Mae'r crafiad yn ymestyn ar hyd drysau ochr y gyrrwr, ac ar hyd y cefn. Roeddwn i'n hoffi'r sŵn gwichian uchel wrth i werth miloedd o bunnoedd o ddifrod gael ei wneud i gar y bastad digywilydd oedd wedi parcio y tu allan i'w thŷ.)

Mae Einir a'r dyn yn ffarwelio. Mae hi'n cau'r drws ac mae yntau'n sefyll am amser hir, yn edrych ar ei gar ac yn rhegi. Yna, mae'n edrych o gwmpas ar y tai eraill, gan feddwl, mae'n siŵr, tybed oes rhywun wedi gweld rhywbeth? Mae ei lygaid yn edrych i fyny at fy ffenest i. Dwi'n gwybod nad ydi o'n gallu 'ngweld i drwy'r llenni net patrymog, ond dydw i ddim yn licio ei fod o'n edrych.

Ar ôl i'r dyn adael i fynd i'r gwaith, dwi'n aros wrth y ffenest ac yn gwylio Einir yn gadael hefyd. Mae'n gwisgo sgert ddu, ei chôt law werdd a bwtsias duon. Mae ei gwallt yn rhydd o gwmpas ei hysgwyddau. Mae'n cario ei bag lledr brown. Wrth basio ei ffenest yn ddiweddarach, dwi'n gweld bod ei chegin yn daclus ac yn lân. Mae'n rhaid ei bod hi wedi cael amser i olchi'r llestri brecwast heddiw. Mae'n rhaid ei bod hi'n teimlo'n dda – sy'n fy synnu, a dweud y gwir, am fod golau ei llofft wedi dod ymlaen am 3.17 neithiwr eto. Roedd hi wedi dod i'r ffenest eto, ac wedi edrych allan ar y stryd.

Ar ôl sylweddoli ei bod hi a finnau ar yr un ap, doedd dim ond un peth i'w wneud. Roedd rhaid i mi gysylltu â hi.

Roeddwn i wedi bod ar yr ap am bron i flwyddyn erbyn hynny, ac wedi bod ar ambell ddêt hefyd. Am ryw reswm, roedd y merched yn colli diddordeb ar ôl cwrdd â fi, er 'mod i'n teimlo bod popeth wedi mynd yn iawn. Roeddwn i wedi gofyn i un o'r merched ryw dro a oedd ganddi dips ar beth ddylwn i ei wneud yn wahanol, ac roedd hi wedi bod yn ddiflewyn-ar-dafod wrth ateb:

'Rwyt ti'n rhy *needy*! Dêt cynta 'di hwn, ond roeddat ti'n sôn am fynd ar wylia efo'n gilydd a chwrdd â theuluoedd ein gilydd… Does neb isio rhywun desbret, nag oes?!'

(Wedi i mi wneud ychydig o chwilio ar y we, des o hyd i gyfeiriad y ferch. Byddwn yn argraffu lluniau o gyrff meirw merched o'r we ac yn eu hanfon ati hi, un bob cwpl o ddyddiau am tua deufis. Gwnaeth hynny i mi deimlo'n well.)

Trafferth arall gyda'r ap yma oedd lefel y drafodaeth. Fel arfer, byddai'n mynd rhywbeth yn debyg i hyn:

Helô.

Haia. Ti'n iawn?

Yndw diolch. T?

Yndw diolch.

Doedd rhywun ddim yn cael syniad o ba fath o berson oedd y ferch o'r pytiau bach yma, ac eto, sut oedd newid hynny? Fedr rhywun ddim dechrau sgwrs efo: *Be ydi dy farn di ar ynni niwclear?* neu *Wyt ti'n coelio yn Nuw?* Byddai merched yn meddwl 'mod i'n wallgof.

Pendronais yn hir cyn anfon neges at Einir. Ond yn y diwedd, gwyddwn yn iawn beth oedd yr agoriad perffaith i'n deialog ni:

Haia! Wyt ti'n gallu siarad Cymraeg?

Roeddwn i wedi gweld y sticer Cymdeithas yr Iaith ar ei char, 'dach chi'n gweld. Doeddwn i ddim yn aelod o'r Gymdeithas, nac erioed wedi bod i'r un brotest na rali. A dweud y gwir, criw o hipis cwynfanllyd oedden nhw i fi, ond roeddwn i'n fodlon smalio, er mwyn Einir, 'mod i'n ffysi am ba iaith roedd fy nghariadon yn ei siarad.

Ymhen ychydig oriau, roedd hi wedi ateb:

Yndw! Doeddwn i ddim yn gwybod bod 'na Gymry eraill ar hwn! :)

Wnes i ddim ateb wedyn, ddim am ddiwrnod cyfan. Yn un peth, roeddwn i wedi gwrando ar yr hen fitsh oedd wedi dweud 'mod i'n rhy anghenus, ac felly gwell peidio ymateb yn syth. A hefyd, roeddwn i am fwynhau'r teimlad yna am ychydig – y teimlad cynnes, hyfryd, 'mod i ar y trywydd iawn efo Einir, a'i bod hi'n siŵr o fod yn eistedd yn ei thŷ unig dros y lôn, yn dychmygu'r dieithryn golygus oedd yn aros amdani ar y we.

PENNOD 4

19.05

MAE EINIR YN PARATOI swper – pasta parod o'r meicrodon. Mi wnes i ddarllen ar y we ryw dro fod y pelydrau o feicrodon yn gallu gwneud drwg ofnadwy i'r rhai oedd yn eu defnyddio, ac achosi pob math o broblemau iechyd a chancr. Mae wedi bod yn fy mhoeni i fod Einir yn defnyddio cymaint arno.

Wrth i'w bwyd gynhesu, mae Einir yn dechrau gwneud rhywbeth rhyfedd y bydd hi'n ei wneud o bryd i'w gilydd. Mae hi'n dawnsio. Mae'n siŵr fod y radio ymlaen ganddi yn y gegin – fedra i ddim ei glywed, wrth gwrs – ond mae hi'n smalio bod rhywun yna gyda hi, yn dawnsio walts araf. Weithiau nid walts mae'n ei dawnsio, ond dawns araf, freuddwydiol, ac rydw i'n ei charu hi yn y cyfnodau breuddwydiol, rhyfedd yma. Dydi hi ddim llawn llathen.

Mae Einir yn rhoi'r gorau i ddawnsio, ac yn nôl ei swper cyn diflannu i'w hystafell fyw.

Mae'r dyn o rif 7 yn mynd o ddrws i ddrws yn gofyn oes unrhyw un wedi gweld rhywun yn crafu ei gar. Does dim ateb yn y rhan fwyaf o'r tai, ond mae'r rhai sydd adre yn ysgwyd eu pennau, ac yn synnu o glywed bod hyn wedi digwydd ar ein stryd fach dawel ni.

Mae o'n symud yn agosach at fy nhŷ i. Dwi'n aros am y gnoc ac yn brysio i lawr y grisiau i ateb y drws. Mae'r dyn yn sefyll yno, a golwg bryderus ar ei wyneb. Dydw i heb ei weld o mor agos â hyn o'r blaen. Dwi'n dalach na fo o ychydig fodfeddi, ond mae o'n sgwâr, fel chwaraewr rygbi. Mae ganddo'r math o wedd sy'n awgrymu tymer wyllt – gwallt golau a wyneb coch. Ond dwi'n siŵr mai fi fyddai'n ennill petaen ni'n cwffio.

'Haia. Dion ydw i. Dwi'n byw yn rhif 7...'

Dwi'n rhoi gwên fach stiff iddo, ond yn dweud dim.

'Dwi jyst yn holi pawb ddaru nhw weld rhywbeth anarferol neithiwr. Mi gafodd fy nghar ei ddifrodi ganol nos.'

Rydw i eisiau dweud mai am bedwar munud wedi pump y bore y cafodd ei gar ei ddifrodi, nid ganol nos, ond dwi'n cau fy ngheg.

'O! Am beth ofnadwy!' Dwi'n camu allan i'r stryd, ac yn pwyntio at ei dŷ. 'Tu allan i fan'na oedd dy gar di, ia?'

'Na, na. Ro'n i wedi parcio fan hyn.' Ac mae o'n pwyntio at le mae car bach Einir wedi ei barcio. Dwi'n smalio fod hyn yn fy synnu, ac yn codi fy aeliau ryw fymryn.

'O, reit! Parcio tu allan i dŷ Einir, ia?'

Mae'r dyn yn gwrido rhyw fymryn. 'Ia. Roedd hi braidd yn gyfyng y tu allan i 'nhŷ i ddoe.'

'Wrth gwrs! Mae Range Rover mor fawr i stryd fel hon.' Dwi'n gwenu'n gyfeillgar, sy'n ei ddrysu'n llwyr. Mae o'n gwybod, ar ryw lefel, 'mod i'n dweud y drefn wrtho am barcio'i gar mawr gwirion y tu allan i dŷ rhywun arall. Ond mae o hefyd yn gweld y wên fawr gynnes, a dydi'r ddau beth gyda'i gilydd ddim yn gwneud synnwyr.

'Mae'r garej yn dweud y bydd hi'n costio dros fil i drwsio'r crafiad,' meddai'r dyn wedyn.

'Asu! Ma'n siŵr mai hen blant oedd wrthi, sti. Welish i ddim byd, beth bynnag. Sori.'

Mae'r dyn yn nodio. Mae'n diolch i mi, ac yn dechrau symud i ffwrdd. Fedra i ddim peidio ychwanegu, 'Neu rywun sy'n byw ar y stryd, 'de.'

Mae o'n stopio'n stond. 'E?'

'Ti'n gwybod fel ma pobol am barcio! Dwi'm yn dallt pam, chwaith. Rhydd i bawb barcio fel lician nhw, os ti'n gofyn i fi.'

Mae'r dyn yn edrych fel petai wedi ei synnu go iawn. Mae o'n ysgwyd ei ben ryw fymryn. 'Be? Ti'n meddwl bod rhywun wedi crafu 'nghar i am barcio y tu allan i dŷ rhywun arall?'

'Dim syniad. Mae o'n bosib, dydi? Ond mi gadwa i lygad yn agorad o hyn ymlaen. Dwi'n bendant ddim isio i neb grafu 'nghar i!'

Mae Sali'n dod o nunlle, ac yn gollwng corff marw deryn bach ar y pafin rhyngon ni. Rydyn ni'n edrych ar liwiau llonydd y titw tomos las, ond dydi Dion na finnau'n dweud dim.

Ar ôl iddo fynd, dwi'n teimlo'n dda. Yn grêt, a dweud y gwir. Mae'r dyn yn amau pawb rŵan. Efallai ei fod o'n fy amau i, ond dwi ddim yn meddwl. Mae'n fwy tebygol ei fod o'n meddwl mai Einir wnaeth.

3.17

Mae'n digwydd eto. Y golau'n dod ymlaen, Einir yn dod i sefyll yn ei ffenest, ac yn edrych i lawr. Mae'n aros yn hirach heddiw, fel petai'n disgwyl am rywbeth. Yna, mae'n mynd yn ôl i'w gwely, ac mae'r golau'n diffodd.

Mae rhywbeth yn bod. Dwi'n siŵr o hyn oherwydd:

1. Dyma'r drydedd noson iddi godi am 3.17, mynd i sefyll yn ei ffenest ac edrych allan ar y stryd. Er i mi bendroni am hyn, fedra i ddim meddwl am unrhyw esboniad rhesymol.
2. Yr olwg ar ei hwyneb pan ddywedodd dyn rhif 7 wrthi fod ei gar wedi ei ddifrodi. Oedd, roedd hi wedi cael sioc, ond roedd hi'n edrych fel petai rhywbeth llawer gwaeth wedi digwydd. Wedi'r cyfan, dim ond car oedd o, ac nid ei char hi hyd yn oed. Pam roedd hi mor drist am y peth?
3. Mae golwg bryderus a blinedig arni wrth iddi adael i fynd i'r gwaith a dod adre gyda'r nos. Mae'n edrych ar y stryd o'i chwmpas i weld pwy sydd yna, fel

petai'n disgwyl gweld rhywun yn aros amdani.

Mae hyn i gyd yn awgrymu bod yr amser wedi dod i roi fy nghynllun ar waith. Mi wna i ddechrau heno, pan fydd hi'n dod yn ôl o'r gwaith. Bydda i'n aros amdani.

PENNOD 5

Dydw i ddim yn licio brolio, ond roeddwn i wir yn chwarae'r gêm yma mewn ffordd fedrus. Roedd hi mor, mor hawdd.

Ar ôl gyrru neges ar yr ap yn gofyn i Einir oedd hi'n medru siarad Cymraeg, a chael ei hateb brwd, roedd hi'n hawdd ei rhwydo hi.

Wel helô! Braf cwrdd â chyd-Gymry eraill yma. Roeddwn i'n dechrau anobeithio. Lle wyt ti'n byw?

Bangor. Wedi 'ngeni a'm magu yma. Chdi?

Ym Mhorthaethwy mae fy nghartref, ond prin iawn 'mod i yno. Dwi'n teithio lot efo gwaith. Yn Abu Dhabi ar hyn o bryd.

Waw! Posh! Be 'di dy waith di? Dwi'n nyrs yn y sbyty.

Gwaith rheoli arian i gleients preifat. Dydi o ddim mor posh ag mae'n swnio. Dwi heb ddod o hyd i neb sy'n gwneud pizza cystal â Hilary Bangor Ucha, ddim hyd yn oed yn yr Eidal!

(Roeddwn i wedi gweld Einir yn dod adre weithiau yn cario bocs o siop bitsas Hilary, felly roeddwn i'n gwybod y byddai'n licio hynny.)

Pethau digon dibwys oedd pynciau ein sgwrs ni, ond digon cynnes a charedig i wneud i ni deimlo'n dda. Roedd cyflwyno fy hun fel dyn pwysig ym myd arian yn dda, gan fod merched yn licio dynion llwyddiannus, ond hefyd gan fod gen i esgus i beidio cwrdd â hi petai hi'n gofyn. Medrwn i fod yn Dubai, neu Genefa, neu Efrog Newydd, i gyd o fy llofft fach dros y lôn iddi ym Mangor.

Dwi ddim yn cofio penderfynu dweud celwydd. Byddai wedi bod yn haws, mae'n siŵr, imi anfon neges yn dweud mai fi oedd y boi caredig dros y ffordd, ac yn holi a fyddai ganddi ddiddordeb mewn dod draw am baned neu fynd allan am ddiod rywbryd. Ond wnes i ddim meddwl am hynny. Chafodd y peth ddim ystyriaeth, hyd yn oed. Medrwn i fod yn bwy bynnag yr hoffwn i fod am ychydig.

Dywedais 'mod i'n cael cyfnodau heb gysylltiad â'r we weithiau, a finnau'n teithio gymaint, a chynigiais rif fy ffôn bach iddi os oedd hi am yrru negeseuon testun. A dyna sut cefais i afael ar ei rhif ffôn hi. Byddai'n anfon negeseuon ata i sawl gwaith y dydd:

Newydd ddechrau shifft. Wedi blino'n lân! E x

Newydd ddeffro, ddim isio codi! Sut wyt ti? E x

Ar fin mynd i gysgu. Nos da. E xx

Byddwn innau'n anfon negeseuon ati hithau hefyd:

Newydd lanio yn Sydney. Maes awyr fel ffair! Cyfarfodydd rŵan. x

Cyfarfod cinio yn Llundain. Wedi cael gormod o Veuve! x

Noson arall mewn gwesty. Isio dod adre! x

Roedd fy enw yn bos iddi. Fy enw ar yr ap oedd Boilawn27. Rhif fy nhŷ yw 27 ond dywedais mai rhan o rif personol fy nghar oedd o. Gwyddwn na fyddai Einir wirion yn rhoi dau a dau at ei gilydd, er ei bod hi'n gweld rhif fy nhŷ i bob dydd ar draws y stryd. Roedd rhywbeth yn gyffrous yn y ffaith 'mod i'n rhoi ffasiwn gliw amlwg iddi. Er mai WelshGirl85 oedd ei henw ar yr ap, roedd hi wedi dweud wrtha i'n ddigon buan mai Einir oedd ei henw.

A be dwi i fod i d'alw di? Dim Boilawn27 ydi d'enw go iawn di, siawns? E x

Roeddwn i mewn cyfyng-gyngor. Doeddwn i ddim am roi fy enw iawn iddi, wrth gwrs, ond doeddwn i ddim am roi un ffug chwaith. Byddai'n medru holi ffrindiau neu chwilio ar y we, ac yn mynd yn amheus o weld nad oedd neb â'r enw yna'n bodoli.

Oes ots gen ti 'mod i ddim yn dweud ar hyn o bryd? Dwi wedi cael problemau efo preifatrwydd o'r blaen, yn enwedig efo 'ngwaith a ballu. x

Wrth gwrs x

Roedd hynny'n berffaith. Roedd o'n gwneud i fi swnio'n llawn dirgelwch, ac yn gyfle perffaith i wneud i mi fy hun swnio'n bwysig.

Dros ambell neges, esboniais fod fy nghyn-gariad yn Eidales oedd wedi cael ei denu gan fy edrychiad golygus a'r arian sylweddol oedd gen i yn y banc. Roeddwn i wedi cwrdd â hi mewn parti i gynllunydd ffasiwn roeddwn i wedi bod yn gweithio iddo, ac roedd hi'n un o'i fodelau. Roedd hi'n brydferth, esboniais wrth Einir, ond doeddwn i ddim eisiau'r math yna o berthynas arwynebol mwyach. Dyna pam na roddais lun iawn ar fy mhroffil ar yr ap, a dyna pam roedd yn well gen i ddod i adnabod rhywun yn well drwy negeseuon cyn datgelu fy enw.

Einir wirion. Fe lowciodd hi'r cyfan.

Cefais wybod popeth am ei chefndir anodd, bregus hi – ei rhieni oeraidd oedd yn casáu ei gilydd, y ddau wedi ailbriodi a mynd ymlaen i gael teuluoedd newydd. Doedd Einir ddim yn ffitio yn eu bywydau nhw mwyach – doedd hi ddim ond yn eu hatgoffa o'r hen berthynas chwerw, anhapus. Roedd hi'n symbol o fethiant. Felly, ychydig flynyddoedd yn ôl, roedd Einir wedi stopio cysylltu â'r ddau, ac ymhen ychydig, roedden nhw wedi rhoi'r gorau i gysylltu â hithau hefyd.

Soniodd am gariad oedd wedi ei gadael, i fynd efo dynes ieuengach, harddach. Dyn oedd wedi bod yn greulon ac yn filain, ac wedi gwneud iddi deimlo fel pe bai wedi torri. Teimlai fel petai'r byd wedi ei gwrthod hi. Roedd hi'n barod i roi'r gorau i goelio mewn pobol. A'r cyfan roedd hi eisiau oedd rhywun, unrhyw un, i fod yno iddi.

Rhannodd bob dim efo fi. Pob brycheuyn a phob gwendid. Weithiau, byddai'r peth yn reit ddigri. Oedd hi'n dwp 'ta be? Dynes yn ei thridegau oedd yn gwneud dim byd ond gweithio, bwyta a gwylio'r teledu? Oedd hi wir yn coelio bod miliwnydd golygus yn mynd i fod â diddordeb ynddi hi? Roedd Boilawn27 yn cwrdd â channoedd o bobol bob wythnos. Siawns na fyddai wedi dod o hyd i ddynes erbyn hyn! Ond mae pobl yn credu'r hyn maen nhw eisiau ei gredu, ac roedd Einir yn coelio'r cyfan.

PENNOD 6

17.59

Dwi'n aros wrth y drws ffrynt yn gwrando arni'n parcio'r car, ac yna'n aros iddi agor y drws. Dyna pryd dwi'n agor fy nrws fy hun. Mae hi'n neidio, ac yn rhoi ei llaw dros ei bron wrth weld bod popeth yn iawn, mai dim ond fi sydd yna.

'Sori. Wnes i dy ddychryn di?'

'Na, mae'n ocê.'

Mae Einir yn gwenu'n wan. Mae fy nghalon yn curo o fod mor agos ati, ac am y tro cyntaf ers talwm dwi'n gweld ei bod hi'n heneiddio ac wedi blino. Mae ganddi fagiau duon dan ei llygaid, ac mae blinder yn creu llinellau o gwmpas ei cheg.

'Isio cael gair bach o'n i... Dwi'm isio dy ddychryn di ond...'

Mae'n edrych i fyny arna i wedyn, ei llygaid yn fflachio gan ofn. Mae'n gwybod fy mod i ar fin dweud rhywbeth ofnadwy. Mae rhan ohona i am ymestyn allan i gydio ynddi, ond y rhan greulon ohona i sy'n ennill bob tro, a dwi'n mynd yn fy mlaen.

'Digwydd codi ganol nos wnes i neithiwr, wedi clywed rhyw sŵn ar y stryd. Roedd 'na foi yn actio'n od tu allan i dy dŷ di.'

'Od?' gofynna Einir yn gryg.

'Ia. Roedd o jyst yn sefyll yng nghanol y lôn yn edrych i fyny ar ffenestri fyny grisia dy dŷ. Doedd o ddim yn edrych fel lleidr. Roedd o'n foi smart, mewn siwt.'

'Shit!' meddai Einir, a phylodd y lliw o'i gruddiau. Rhoddodd ei llaw dros ei cheg.

'Nesh i agor y ffenest i ddeud wrtho fo am ei heglu hi, ond mi glywodd o fi a rhedeg i ffwrdd. Hei, wyt ti'n iawn?'

Mae hi'n pwyso ei llaw ar fonet y car, fel petai ar fin llewygu.

'Dwi'n ocê,' meddai, er ei bod hi'n amlwg i ni'n dau mai celwydd oedd hynny.

'Dwi ddim isio busnesu na dim, rhag ofn mai wedi ffraeo efo rhyw gariad wyt ti neu rwbath... Ond dwi'n meddwl fod gen ti hawl i gael gwybod.'

'Sgin i ddim cariad,' medd Einir, mewn llais mwy pendant.

'Wyt ti'n gwybod pwy allai o fod, 'ta?'

Mae Einir yn llyncu ei phoer, ac yn nodio.

''Sat ti'n fodlon deud wrth y cops, taswn i'n eu ffonio nhw?'

'Byswn, siŵr!' Dwi'n mentro ymestyn llaw i'w rhoi ar ei braich, fel y byddai ffrind yn ei wneud pan fydd rhywun mewn pryder. Tydi hi ddim fel petai'n sylwi o gwbl. 'Wyt ti isio dod i mewn tra dwi'n eu ffonio nhw?'

(Mae fy nghartref wedi bod yn barod amdani ers misoedd. Ei hoff baned – Earl Grey – a'i hoff fisgedi – *shortbread* siocled – yn ogystal â llun di-chwaeth o Efrog Newydd ar y wal, a chasgliad o hen bosteri gigs Cymdeithas yr Iaith ar y wal gyferbyn.)

'Na, mae'n ocê. Ond diolch.' Mae hi'n gwenu eto, a dwi'n gwybod ei bod hi'n fy ngwerthfawrogi i, ac y daw hi ata i, un diwrnod, cyn bo hir.

* * *

Mae'r heddlu'n cyrraedd tua deg y nos, ac yn cymryd datganiad gen i. Dynes sy'n siarad fwyaf, ac mae'n edrych wedi'i diflasu gan yr holl beth, fel petai hyn yn cymryd yr amser a ddylai fod yn cael ei dreulio yn datrys achosion pwysig o lofruddiaeth neu herwgipio. Mae'r heddwas arall yn ymddangos fel petai'n cywilyddio braidd at agwedd ei gyd-weithwraig.

Mae Sali'n eistedd ar gefn y soffa, yn syllu ar y ddau ohonon ni â'i llygaid gleision, oeraidd.

'Be fydd yn digwydd nesa?' gofynnaf ar ôl ailadrodd fy stori, gan ychwanegu'r ffaith fod y dyn ar y stryd yn smocio, am fod hynny'n gweddu i'r ffilm sydd gen i ohono yn fy mhen.

'*Domestic* ydi o, ma'n siŵr. Maen nhw'n dueddol o sortio'u hunain allan yn y diwedd.'

'Sut fedr o fod yn *domestic* pan mae'r boi allan ar y stryd?' gofynnaf. 'Roedd Einir mewn dipyn o stad.'

'Dydi hi ddim yn erbyn y gyfraith i sefyll ar y stryd,' ateba'r blismones yn bigog.

'Ond rydan ni, wrth gwrs, yn edrych i mewn i'r digwyddiad,' meddai ei chyd-weithiwr. Tybed ydyn nhw'n penderfynu ymddwyn fel hyn, cael *good cop* a *bad cop* cyn ymweld â phob digwyddiad? Am mai dyna maen nhw wedi ei weld ar y teledu? Neu ydi'r ddynes mor galon-galed ag y mae'n ymddangos? 'Mae pethau fel 'ma'n digwydd yn gynyddol y dyddiau yma, efo *internet dating* a ballu...'

'O, wel, dwi'n gwybod dim am hynny. Jyst dweud be welais i ydw i.'

Mae'r plismon clên yn gwrido wedyn, am ei fod o wedi dweud mwy wrtha i nag roedd o'n bwriadu ei wneud. Ond dydi'r blismones hy yn poeni dim am bethau felly.

'Mae 'na lot o *weirdos* yn y byd 'ma,' meddai wrth godi i adael. 'Ac mae honna dros lôn wedi dod o hyd i un.'

Mae Sali'n dweud miaw sydyn, ac mae pawb yn troi i edrych arni.

PENNOD 7

DIM OND MIS ROEDD hi wedi'i gymryd. Dydi hynny ddim yn swnio fel amser hir, ond mae o'n teimlo fel tragwyddoldeb pan 'dach chi'n anfon negeseuon at rywun sawl gwaith y dydd.

Fe ddaeth y neges ganddi ganol nos. Roeddwn i'n effro, wrth gwrs, yn gwylio'i ffenest dywyll, pan grynodd fy ffôn. A dyna lle roedd y geiriau, mewn du a gwyn.

Dwi'n syrthio mewn cariad efo chdi. E x

Lledaenodd gwên dros fy wyneb yn araf fel gwres. Medrwn ei dychmygu yn ei gwely yn y stafell fach dros y lôn. Gwyddwn o edrych drwy'r ffenest fod y golau wedi'i ddiffodd, ac felly mae'n rhaid ei bod hi yn y gwely yn teipio'r neges, a golau'r sgrin yn gloywi ei hwyneb. Mae'n siŵr y byddai'n aros yn eiddgar am ateb, yn trio dyfalu a oedd hi wedi mynd yn rhy bell yn datgan ffasiwn beth wrth ddyn nad oedd hi'n gwybod ei enw.

(Ychydig fisoedd cyn cwrdd ag Einir, cefais rif ffôn dynes y cwrddais â hi yn y gampfa. Bu'r ddau ohonom yn gyrru negeseuon at ein gilydd am ryw wythnos, gan fwriadu cwrdd am ddiod neu bryd o fwyd cyn bo hir. Ar ôl trafod gwleidyddiaeth, llenyddiaeth, bwyd a chrefydd mewn negeseuon, mentrais orffen fy neges olaf un noson drwy ddatgan fy nghariad ati. Chlywais i 'rioed yr un gair ganddi wedyn. Ar ôl ychydig fisoedd, anfonais feirws i'w chyfrifiadur o gyfeiriad e-bost anhysbys, feirws oedd yn lawrlwytho cannoedd o ddelweddau anweddus i'w chyfrifiadur.)

Beth oedd y ffordd orau i ateb neges Einir?

Roeddwn i wrth fy modd. Dyma'n union y math o beth fyddwn i'n ei wneud. Dyma'n union y math o beth roeddwn i wedi ei wneud eisoes, a dweud y gwir, felly mae'n rhaid bod ganddi chwinc tebyg i finnau. Fy ngreddf gyntaf oedd ateb yn syth gyda geiriau tebyg. Ond roedd yn rhaid i mi ofyn i mi fy hun, ai dyna fyddai Boilawn27 yn ei wneud?

Na. Roedd Boilawn27 yn glyfrach na hynny.

Arhosais tan y prynhawn wedyn. Fel rheol, byddai Einir a Boilawn27 yn anfon negeseuon at ei gilydd yn aml, felly roedd pedair awr ar ddeg yn amser hir i fynd heb anfon neges. Gwelais Einir yn dal yn dynn yn ei ffôn wrth iddi adael am y gwaith y bore hwnnw, ac mae'n siŵr ei bod hi mewn stad erbyn dau o'r gloch y prynhawn, yn meddwl yn siŵr ei bod hi wedi gwneud y peth anghywir. Efallai ei bod hi'n meddwl fod y cyfan drosodd.

Am chwarter wedi dau, anfonais neges:

XXX Dwi'n meddwl bod 'na ddyfodol i ni. x

Roedd o'n berffaith, yn gwbl berffaith. Doedd Boilawn27 ddim wedi dweud ei fod o'n ei charu hi, ond roedd yn awgrymu y gallai hynny ddigwydd ryw ddiwrnod. Byddai Einir yn teimlo ffasiwn ryddhad o gael neges ganddo – gen i – a byddai'n eithriadol o hapus.

Mae'n rhaid ei bod wedi cadw'i ffôn yn agos, achos cefais neges yn ôl yn syth.

:) x

Y noson honno, lluniais e-bost hir iddi. Roeddwn i wedi bod yn meddwl amdano ers hydoedd, ond fe gymerodd oriau i mi ei sgwennu. Soniais am golli fy rhieni pan oeddwn i'n ifanc, ac am y cariadon prydferth, creulon, oedd wedi torri fy nghalon. Dywedais 'mod i wedi sylweddoli mai personoliaeth oedd yn bwysig, nid golwg rhywun nac arian, a bod dod i adnabod Einir yn y ffordd ryfedd yma'n gwneud i mi deimlo bod fy nheimladau tuag ati yn fwy real na llawer o berthnasau cig a gwaed roeddwn i wedi'u cael. Soniais yn ffug-swil am y tŷ mawr drud ym Mhorthaethwy, bod angen cyffyrddiad dynes arno, ac efallai, un diwrnod, dwrw llond tŷ o blant bach Cymraeg.

Wnaeth hi ddim diffodd golau ei llofft am hir y noson honno. Mae'n rhaid ei bod hi wedi bod â'i chyfrifiadur ar ei glin yn y gwely, gan iddi anfon ateb hirfaith i fy neges, yn sôn nad oedd hi'n tynnu ymlaen gyda'i rhieni, ac am iddi gael ei bwlio gan ei chwaer, ac am wacter patrwm ei dyddiau – gweithio, bwyta, gwylio'r teledu, cysgu. Soniodd am ei chyn-gariad yn Llundain, yr un oedd wedi ei gadael ar ôl iddo syrthio mewn cariad â dynes iau, dlysach, deneuach na hi. Esboniodd ei bod hi wedi teimlo, ers hynny, nad oedd hi'n ddigon da, a bod hynny, yn ei dro, wedi gwneud iddi deimlo llafn ei hunigrwydd bob tro y byddai'n dod adref i dŷ gwag. Dywedodd 'mod i, Boilawn27, wedi dod â rhywbeth anhygoel i'w bywyd: gobaith.

Dwi'n gwybod ei fod o'n swnio'n wirion, achos dwi ddim yn dy nabod di, sgin i ddim syniad sut wyt ti'n edrych nac yn swnio. Falla mai rhyw hen ddyn budr sy'n byw ar y stryd nesa wyt ti! Ond rywsut, dwi'n gwybod dy fod di'n real. A dwi'n teimlo'n union yr un fath â ti.

Mi faswn i WIR yn licio cwrdd â ti'r tro nesa rwyt ti yng Nghymru. Dwi braidd yn nerfus – be tasa 'na ddim byd i'w ddweud ar ôl cwrdd wyneb yn wyneb? Ond dwi isio bod efo ti. Ym mhob ffordd.

'Ym mhob ffordd.' Roeddwn i'n gwybod beth oedd ystyr hynny. Roedd hi'n sôn am ryw. Rhaid i mi gyfaddef i mi gael dipyn o sioc. Roeddwn i wedi osgoi crybwyll dim byd felly, gan feddwl y byddai unrhyw beth o natur rywiol yn ei ffieiddio hi. Ond mae'n rhaid ei bod hi eisiau'r math yna o beth.

Dim ond un llinell oedd fy ymateb ganol nos:

Faint wyt ti isio fi?

PENNOD 8

18.12

MAE HI'N WYTHNOS A hanner bellach ers i Einir ddechrau troi ei golau ymlaen bob nos am 3.17. Dwi'n meddwl 'mod i'n deall pethau ychydig yn well rŵan.

Heddiw, pan mae'n dychwelyd o'r gwaith, dwi'n gwneud yn siŵr 'mod innau allan hefyd. Mae hi'n gwenu wrth fy ngweld i, ond gwên drist ydi hi. Dydi hi'n amlwg ddim eisiau gweld neb.

'Ti'n ocê ar ôl y noson o'r blaen?'

Mae hi'n codi ei hysgwyddau. 'Am wn i. Ti heb weld dim byd arall, naddo?'

Ysgydwaf fy mhen. Mae golwg flêr arni heddiw, fel petai heb gael cawod. Rydw i wedi fy siomi ynddi. Mae ei lluniau ar yr ap yn ei dangos hi'n smart ac yn daclus, ac yn gwisgo colur o hyd. Ond dyna fo. Mae hi wedi cael ei styrbio sawl tro yn ystod y nos gan y galwadau ffôn.

Dydi hi ddim yn ateb y ffôn bellach, ond dwi'n gadael negeseuon ar ei pheiriant ateb.

Byth yn dweud dim, nac yn anadlu'n drwm na dim byd afiach fel 'na. Dwi'n chwarae darnau o gerddoriaeth iddi dros y ffôn. Mae'n hwyl chwilio amdanyn nhw – clipiau o ffilmiau arswyd, pan mae'r gerddoriaeth yn aflan ac yn ddychrynllyd.

Cafodd hi bum galwad ffôn neithiwr.

'Dwi 'di bod yn cael galwadau ffôn,' meddai'n flinedig, a dyna pryd dwi'n gwybod bod popeth yn ei le, popeth yn gweithio. Mae hi'n ddigon digalon i ymddiried mewn dieithryn fel fi. Dyma fy nghyfle – fedra i ddim gwneud camgymeriad rŵan.

'Pa fath o alwadau ffôn?'

'Miwsig. Mae o'n afiach, fel tasa rhywun yn trio 'nychryn i.'

Dwi'n ysgwyd fy mhen, fel petai'r ffasiwn beth y tu hwnt i ddirnadaeth. 'Miwsig?'

'Miwsig o ffilmia, dwi'n meddwl. Ti'n siŵr bo' chdi heb weld dim?'

'Hollol siŵr.' Dwi'n nodio. 'Yli, Einir... Dwi'n gwybod ein bod ni ddim yn nabod ein gilydd yn dda iawn, ond cofia 'mod i yma i chdi.'

Mae hi'n edrych i fyny ac yn syllu i fyw fy llygaid.

'Dwi'n ei feddwl o, Einir. Dwi ddim yn licio'r hyn sy'n digwydd i ti. Y dyn ar y stryd, a'r galwadau ffôn… A'r car, wrth gwrs.'

'Y car?'

'Range Rover boi rhif saith. Dipyn o gyd-ddigwyddiad fod y car y tu allan i dy dŷ di wedi cael ei grafu, dydi?'

Agorodd ceg Einir yn araf, fel petai ar fin rhoi esboniad. Ond doedd dim un. Roeddwn i wedi plannu'r hedyn o amheuaeth rŵan.

'Wnes i ddim meddwl am hynna,' meddai o'r diwedd. Ac mae'n dechrau crio dagrau mawr tew sy'n diferu'n flêr ar lapél ei chôt werdd. Dydi hi ddim yn un o'r merched yna sy'n dlws pan maen nhw'n crio. Mae ei thrwyn yn chwyddo'n fawr a'i llygaid yn mynd yn fychan, fel llygaid mochyn.

'Tyrd i mewn.' Dwi'n ymwrthod â'r ysfa i roi fy mraich amdani, ac yn agor fy nrws ffrynt iddi. Mae'n mynd yn syth i mewn i'r gegin, ac yn eistedd wrth y bwrdd.

'Fy mai i ydi o i gyd!' meddai, a'i llais yn llawn dagrau. Dwi'n taro'r tegell ymlaen, ac yn ymestyn am yr Earl Grey. 'Dwi'n meddwl bydd raid i fi symud tŷ. Dwi'n dechra'i cholli hi go iawn, wir i chdi. Dwi hyd yn oed wedi gosod larwm ganol nos fel 'mod i'n codi i wneud yn siŵr fod 'na neb o gwmpas! Mae'n boncyrs!'

Dyna esbonio 3.17.

'Dwi'n siŵr nad chdi sydd ar fai. A dwi'n siŵr y bydd yr heddlu'n dal y *weirdo* 'ma, pwy bynnag ydi o.' Dwi'n gwbl sicr, wrth gwrs, na fydda i'n cael fy nal. Dwi'n rhy ofalus i hynny.

'Dydi'r cops ddim yn gwybod ei hanner hi,' meddai Einir yn dawel. Mae hi'n ymestyn am hances bapur o'r bocs ar y bwrdd. (Roeddwn i wedi rhag-weld y byddai'n crio ar ei hymweliad cyntaf â'm cartref.)

Dwi'n tollti dŵr berwedig ar y bagiau te yn y cwpanau, ac yna'n ychwanegu llefrith. Ar ôl gosod y baned o'i blaen, dwi'n eistedd ar y gadair arall ac yn syllu arni. Daw Sali i mewn, a neidio ar sìl y ffenest. Mae hi'n anwybyddu Einir a finnau ac yn syllu allan i'r nos.

'Mae'n bwysig i ti ddweud popeth wrth yr heddlu, Einir.'

Dwi'n gwybod, wrth gwrs, nad ydi hi wedi gallu dweud y cyfan wrthyn nhw. Mae o'n ormod, dweud pethau fel 'na wrth yr heddlu, a gorfod cyfaddef ei bod hithau, hefyd, wedi bod yn wirion.

Mae hi'n ysgwyd ei phen. 'Fedra i ddim.'

'Pam lai?'

Mae'n gwasgu hances bapur at ei llygaid cyn edrych arna i gyda'i llygaid cochion. 'Mae 'na luniau.'

* * *

Dylai fod wedi gwybod yn well na thynnu lluniau fel yna ohoni ei hun. Wedi'r cyfan, mae 'na ddigon o rybuddion yn erbyn gwneud y ffasiwn beth, digon o straeon dychrynllyd yn y papurau ac ar y we ac yn y cylchgronau rhad mae hi'n eu darllen. Ond mae merched yn gallu bod mor dwp.

Daeth y llun cyntaf ryw fore, pan oeddwn i'n gweithio ar rywbeth diflas ofnadwy yn y llofft fach. Hunlun, yn ei dangos hi yn ei gwisg nyrs, botymau uchaf ei chrys yn agored a'i breichiau'n gwthio ei bronnau at ei gilydd. Roedd hi'n gwneud yr wyneb yna mae pobol ifanc yn ei wneud mewn lluniau, yn sugno'i bochau i mewn ac yn gwthio'i gwefusau'n siâp calon. Edrychais ar y manylion – y peiriant sychu dwylo yn y cefndir, y darn o bapur oedd yn ymwthio o'i phoced. Mae'n rhaid ei bod hi wedi tynnu'r llun wrth biciad i'r tŷ bach ar shifft. Efallai fod 'na gleifion yn aros amdani, mewn poen ac yn anghyffyrddus.

Roedd hi'n ffiaidd, yn tynnu ffasiwn lun ohoni ei hun ac yn ei anfon at ddieithryn.

PHWOAR! Agor un botwm arall? xxx

Roedd o mor hawdd. Y cyfan oedd ei angen arni oedd ymateb, a byddai'n mentro fymryn yn bellach bob tro. Un botwm arall y noson honno. Coesau noethion y diwrnod wedyn. A mwy, a mwy, a mwy. Byddwn yn ymateb fel y byddai rhywun fel Boilawn27 yn ymateb: *Dwi isio chdi rŵan* a *Ti'n fy ngyrru i'n wirion.* Wnaeth hi ddim gofyn am lun yn ôl, dim un waith. Ymhen ychydig wythnosau, roeddwn i wedi gweld pob un darn ohoni, ac argraffais bob llun a'u gosod ar waliau'r llofft fach.

Weithiau, byddwn yn ei gwylio'n hwylio swper iddi hi ei hun yn ei chegin fach, ei *onesie* pinc amdani a'i gwallt dros y lle, ac ar yr un pryd, byddwn yn edrych ar ddarlun bronnoeth roedd hi wedi ei anfon ychydig ddyddiau ynghynt. Byddai dyn fel Boilawn27 yn mwynhau lluniau fel yna, ac felly roedd rhaid i finnau smalio.

Ond nid cyffro rhywiol oedd yn fy nghynhyrfu pan oeddwn i'n edrych ar luniau ohoni, ond cynddaredd. Oedd hi wir yn meddwl ei bod hi'n edrych yn dda? Yn ddigon da i foi fel Boilawn27, oedd wedi bod allan efo modelau ac actoresau?

Ar ôl derbyn llun arall ryw fin nos, anfonais neges yn ôl ati:

Diolch xxx Ti'n gojys! Mor wahanol i'r genod dwi 'di bod efo nhw o'r blaen, oedd yn obsesd efo edrych yn berffaith. Ti mor naturiol! xx

Roedd hi yn ei chegin pan dderbyniodd fy neges, a gwyliais hi'n ei darllen. Gwelais y wên yn diflannu o'i hwyneb, a'i hysgwyddau'n disgyn ryw ychydig. Atebodd fi'n syth gyda thair sws, ond gallwn weld 'mod i wedi ei thorri ryw fymryn. Wedi gwneud iddi deimlo'n dew ac yn hyll a ddim cystal â'r lleill.

Ar yr union eiliad honno, fe ganodd fy ffôn. Fy ffôn i, nid ffôn Boilawn27. Mam oedd yna.

''Ngwas i! Sut wyt ti?'

'Wedi bod yn brysur. Cyfarfodydd yng Nghaerdydd a Llundain a ballu. 'Dach chi'n gwybod sut ma petha.'

'Yndw, tad! Ond mae'n braf clywed dy lais di, cofia.'

Rhywsut, roedd hi'n haws dweud wrth Mam 'mod i'n brysur yn teithio o le i le efo'r gwaith na chyfaddef nad oedd gen i ddim amynedd mynd i'w gweld hi. Roedd hi'n meddwl 'mod i'n byw bywyd cyffrous, llwyddiannus, yn llawn ffrindiau a merched a gwin. A doedd dim drwg mewn gadael iddi feddwl hynny, nag oedd? Roedd o'n ei gwneud hi'n hapus i feddwl ei bod wedi magu dyn fel yna. Dim ond celwydd golau oedd o, ac roeddwn i am ei phlesio hi, nid ei siomi. Roedd hi wedi cael hen ddigon o siom yn ei bywyd.

Dros y lôn, agorodd Einir dun o ffa pob a'u tollti i sosban. Tun cyfan! Oedd hi'n gwybod bod ffa pob yn llawn siwgr?

'Sori, Mam. 'Dach chi'n ocê?'

'Yndw'r aur! Wedi bod yn meddwl amdanat ti, yndê. Lle wyt ti rŵan?'

'Llundain, Mam. Mewn rhyw westy mawr. Mae o'n ganolog iawn, ond dydi'r *room service* ddim yn gyflym iawn.'

'Tan pryd fyddi di yna?'

'Dydd Mercher, ac wedyn ymlaen i Gaeredin i gyfarfodydd yn fan'na.'

'Iesgob. Gwylia nad wyt ti'n gwneud gormod.'

'Dwi'n mwynhau, Mam.'

'O, wel, da iawn. Dwi'n falch ohonat ti, cyw.'

Roedd sgwrsio efo Mam wastad yn gwneud i mi deimlo'n wag. Roedd hi mor falch o'r fersiwn ffug ohona i fel na fedrwn i byth gyfaddef bellach 'mod i'n gweithio o adre bob dydd, mewn ystafell fach dywyll yn y tŷ ym Mangor. Byddai'n torri ei chalon. Pethau fel yna ydi celwyddau, yndê? Maen nhw'n tyfu fel caseg eira.

Rhoddodd Einir ddwy dafell o fara yn y peiriant tostio. Dwy dafell a thun cyfan o ffa pob! Doedd hi ddim yn meddwl am ei ffigwr o gwbl?

'Bydd rhaid i mi fynd mewn munud, Mam. Mae Einir efo fi.'

'Pwy?' Gallwn glywed y syndod yn ei llais. Bob hyn a hyn, byddwn yn dyfeisio cariad er mwyn profi i Mam 'mod i'n atyniadol.

'Einir. 'Nghariad i. Mae hi'n aros am swper ar y *room service* rŵan.'

'O! Einir! Enw tlws. A hogan lwcus!'

'Ma hi'n neis iawn. Nyrs ydi hi.'

'Nyrs! Perffaith! Rhywun i edrych ar d'ôl di!'

Cefais bwl byr o euogrwydd, fel poen yn fy mol. Ddylwn i ddim dweud celwydd wrth Mam. Roedd 'na ormod o gelwyddau wedi bod yn ei bywyd hi. Doeddwn i ddim am fod yr un fath â Dad, er mai fo roeddwn i'n ei weld bob tro'r edrychwn i yn y drych. Yr un gwallt tywyll, yr un llygaid gleision.

Mae'n siŵr ei bod hi'n anodd iawn, iawn i Mam edrych ar rywun oedd mor debyg iddo fo. Cymaint haws oedd siarad ar y ffôn. Rhoi cyfle iddi anghofio Dad.

Gwthiais y ddelwedd o'r dyn afiach yn ôl i gefn fy mhen. Doedd o ddim yn cael byw yn fy meddwl mwyach.

'Ylwch, well i mi fynd, Mam.'

'Ddoi di i 'ngweld i cyn bo hir, gwnei? A tyrd ag Einir efo ti.'

'Iawn, Mam, pan gawn ni gyfle...'

'Ia, ia, dwi'n gwybod dy fod di'n brysur iawn. Ond mi 'sa'n braf dy weld di, cyw.'

Meddyliais amdani yn ei thŷ llwyd, oer, ei llaw denau'n dynn o gwmpas y ffôn, a dim byd ond sŵn y teledu a galwadau ffôn prin i gadw cwmni iddi. Efallai y dylwn i fynd i'w gweld hi weithiau, mynd â hi allan am bryd o fwyd neu am de prynhawn i un o'r caffis drud yn y dre. Efallai, petai Einir yn dod efo fi un diwrnod, y byddwn i'n medru rhoi'r gorau i ddweud cymaint o gelwyddau wrthi.

Ffarweliais â Mam, a gwylio Einir yn gratio caws ar ben ei ffa pob. Fel petai'n gwybod bod arna i angen teimlo gwres rhywbeth byw, neidiodd Sali ar fy nglin a dechrau canu grwndi.

PENNOD 9

8.01

Am y tro cyntaf, daw hi draw ata i.

Dwi'n ei gweld hi'n gadael ei thŷ, ac yn mynd am y car. Ond dydi'r car ddim yn symud. Tybed oes rhywun wedi difrodi ei injan dros nos? Ydi hi mewn picil? Ond dydi hi ddim yn rhoi'r goriad yn y twll, dim ond yn eistedd yna am amser hir. Yna, mae'n dod allan o'r car, ac yn cerdded draw at fy nrws.

Mae hi'n gwybod, dwi'n meddwl mewn panig. Mae hi'n gwybod mai fi ydi Boilawn27. Ond brysiaf i lawr y grisiau ac agor y drws iddi, gan geisio darbwyllo fy hun fod popeth yn iawn. Does dim posib ei bod hi'n gwybod.

'Einir!' Dwi'n ffugio syndod. 'Popeth yn iawn?'

'Dwi'm isio bod yn boen,' meddai, a dyna pryd dwi'n sylwi ar ei llygaid. Mae'n rhaid ei bod hi wedi bod yn crio drwy'r nos, achos mae golwg y diawl arni. 'Ma'n siŵr fod gen ti waith i'w wneud…'

'Dwyt ti ddim yn edrych yn rhy dda.' Mae fy ngreddf yn dweud wrtha i y dylwn i symud i'r naill ochr, a'i gadael hi i mewn i'r tŷ. Ond byddai hynny'n rhy hawdd iddi. Fedra i ddim gwneud pethau'n hawdd iddi.

'O'n i am fynd i'r gwaith... Dwi jyst methu. Dwi'n methu'i neud o.' Mae'n edrych i fyw fy llygaid. 'Dwi'n methu siarad efo neb arall.'

'Wyt ti isio dod i mewn am chydig? Mae gen i waith i'w wneud, ond os wyt ti wir angen sgwrs...'

'Diolch.'

(Mae hyn yn bwysig. Gan 'mod i wedi rhoi cyfyngiad amser ar ei hymweliad, mae'n gwneud iddi deimlo 'mod i'n gwneud ffafr go iawn â hi. Mae hefyd yn gwneud i mi ymddangos fel dyn pwysig, sy'n ddigon caredig i roi ei amser prin i helpu dynes mewn trwbwl.)

Ar ôl mynd i'r gegin a tharo'r tegell ymlaen, dwi'n dweud wrth Einir fod rhaid i mi wneud galwad ffôn sydyn. Dwi'n sefyll yn yr ystafell fyw ar fy mhen fy hun, yn smalio cael sgwrs ffôn:

'Hi Jeremy, I have a situation here. Could

we move today's Skype meeting to the afternoon, please? Thanks, no, everything's okay, just a situation with a neighbour in need. Thanks, mate. Okay. Bye.'

Pan dwi'n dychwelyd i'r gegin, mae Einir wedi gwneud paned i ni'n dau, ac mae'n gwenu'n wan arna i.

'Sori. O'n i jyst ddim yn gwybod lle i droi.'

Dwi'n nodio, ac yn eistedd wrth ei hymyl. Gallaf arogli'r siampŵ afal yn ei gwallt, a dwi'n meddwl am y lluniau afiach sydd gen i ohoni yn y llofft. 'Be sydd wedi digwydd?'

'Galwadau ffôn ganol nos eto. Y miwsig rhyfedd 'na. A'r llunia…' Mae hi'n troi oddi wrtha i wedyn, yn methu edrych i fyw fy llygaid. 'Mae o'n anfon y llunia yn ôl ata i, ar e-bost a tecst, drosodd a throsodd…'

'Dwi wir yn meddwl y dyliet ti ddweud wrth yr heddlu am y llunia, sti.' Dwi'n sipian fy nhe. 'Does 'na ddim byd yn bod ar dynnu *selfies* a'u hanfon nhw at gariad, felly dwyt ti ddim ar fai…'

'Ond os ydi'r heddlu'n gofyn am weld y llunia…' Mae Einir yn ysgwyd ei phen.

Mae chwarae'r ffŵl diniwed yn fy mhlesio i. Dwi'n mynd i wneud iddi ddweud, yn ddiflewyn-ar-dafod, beth mae hi wedi ei wneud. 'Wel, dangos y llunia iddyn nhw 'ta! Be sy mor ofnadwy amdanyn nhw?'

Mae'n cau ei llygaid yn dynn. 'Llunia... Llunia noeth ydyn nhw.'

'O!' Dwi'n ffugio syndod, ac yn mwynhau'r eiliadau o dawelwch chwithig sy'n dilyn. Mae hi'n meddwl 'mod i'n ei barnu hi rŵan, yn meddwl ei bod hi'n goman. 'Wel, dwi'n dallt dy broblem di, felly.'

'Roedd o'n beth mor wirion i'w wneud!' meddai Einir, ac mae'r dagrau'n dechrau eto. 'A finna ddim yn gwybod pwy ydi o! Dim enw, dim llun, dim byd!'

'Ac mae o'n anfon y llunia yma'n ôl atat ti? Ydi o'n dweud rhywbeth?'

'Na. Roedd o mor normal i ddechra! Roedd gynnon ni gynllunia... Tŷ ym Mhorthaethwy... plant...'

'Ond wnest ti ddim cwrdd â fo...'

'Dwi'n gwybod mor wirion mae o'n swnio!'

'Wnaeth o ddim rhoi cliw i chdi pwy oedd o?'

'Wel, do! Mi ddeudodd o eitha lot – tŷ mawr ar y Fenai, gweithio efo pobol ariannog, teithio tipyn... Mae o'n foi cefnog, sti, roedd o'n anfon negeseuon ata i o Abu Dhabi a New York a llefydd fel 'na...'

Dwi'n gadael i'r tawelwch lenwi'r gegin. Mae hi'n edrych i drobwll ei phaned.

'Celwydda oedd o i gyd, yndê?' gofynna'n dawel.

'Mae'n debyg. O, Einir.'

'O'n i'n gwybod, mae'n siŵr. Rhywle yng nghefn fy meddwl.' Mae hi'n crio go iawn rŵan. 'Ond ro'n i isio coelio. Ti'n gwybod fel ma hi!'

Rydw i'n codi fy aeliau, fel petawn i'n dweud nad ydw i'n deall o gwbl. Mae Einir yn sylwi, ac yn ochneidio.

'Wyt ti ddim yn ei deimlo fo weithia? Bod 'na fwy i fywyd na hyn? Byw mewn tŷ bach twt ar dy ben dy hun, mewn stryd lle ti'm yn gwybod enw neb? Codi, mynd i'r gwaith, mynd i'r siop, dod adra, bwyta, gwylio teli, cysgu. Ti'm yn cael llond bol o'r math yma o fywyd weithia?'

Dwi'n synnu at hyn. Welais i ddim arwydd cyn hyn ei bod hi'n ddigalon nac yn unig. Er, a hithau wedi ei ddweud o, mae'n amlwg. Pa fath o fywyd oedd ganddi mewn gwirionedd?

'Am unwaith, roedd 'na rywun oedd yn cymryd diddordeb ynof i. Sgin ti'm syniad sut ma hynna'n teimlo, ar ôl bod yn anweledig mor hir!'

Teimlais rywbeth yn deffro y tu mewn i mi, rhyw gryndod rhyfedd.

'Trwy 'mywyd, dwi 'di bod yn *neb*!' Collodd Einir ddeigryn arall. 'Rhieni oedd yn *bored* efo'u plant, cariad oedd yn gwybod ei fod o'n gallu gwneud yn well na fi. A dwi ddim yn gofyn am lot, sti! Dwi'm yn gofyn am foi golygus, cyfoethog... Y cyfan dwi isio ydi *rhywun*. Rhywun sy'n meddwl fod bod efo fi yn well na bod efo neb!' Ysgydwodd Einir ei phen. Roedd hi'n bathetig. 'Falla bod tynnu'r llunia'n beth gwirion i'w wneud, ond o'n i jyst isio bod yn rwbath i rywun am unwaith!'

Dwi'n meddwl amdani, yn crynu ac yn crio; dwi'n meddwl am Boilawn27 a beth fyddai o'n ei wneud nesaf. Yn meddwl am yr holl amser mae hi'n ei dreulio yn meddwl amdano fo – amdana i. Mae ei bywyd i gyd wedi ei roi i'r un cymeriad niwlog yma nad ydi hi'n gwybod pwy ydi o.

O'n i jyst isio bod yn rwbath i rywun. Dwi'n dallt yn union beth mae hi'n ei feddwl.

PENNOD 10

MAE EINIR YN DOD at ei choed o fewn dim, ac mae'n diolch i mi cyn gadael am ei gwaith. Bydd hi fymryn yn hwyr, meddai hi, ond mae ganddi fòs sy'n deall ei bod hi'n cael amser caled.

Mae 'na deimlad rhyfedd ynof i heddiw, fel petawn i'n llawn o hen egni od. Mae gen i waith i'w wneud, ond dwi'n penderfynu mynd allan am dro yn lle setlo wrth fy nesg. Mae fy nghoesau'n teimlo fel petaen nhw'n medru rhedeg marathon, fy nyrnau'n agor a chau fel taswn i'n cwffio.

Mae'n hydref. Roeddwn i wedi anghofio am hynny, neu wedi peidio meddwl am y peth o gwbl. Mae'r holl beth efo Einir wedi gwneud i mi deimlo fel petawn i wedi gadael y byd go iawn. A rŵan, dyma fo, yn ei holl ogoniant tlws, budr, blêr.

Mae Bangor Uchaf yn brysur. Mae'r myfyrwyr, sydd wedi bod yma ers ychydig wythnosau bellach, yn edrych yn flinedig yn barod, ac yn dechrau magu haen o gnawd cwrw o gwmpas eu hwynebau crwn. Ar y stryd, mae'r lôn yn frith o ddail oren marw, a rhai'n dechrau pydru'n hen slwj hyll wrth y palmentydd. Mae'r adeiladau yn chwydu eu harogleuon wrth i mi basio – cwrw o'r Glob, pitsa o siop Hilary, coffi o'r lle drud lle'r arferai'r banc fod, mwg o'r ceir a chymylau o nicotîn gan fyfyriwr sy'n smocio mewn ffordd eironig, hen ffasiwn.

Dwi'n troi wrth Ffordd y Coleg ac yn cerdded i lawr y lôn goediog, dlws. Teimlad rhyfedd, anghyfarwydd, fel petawn i'n fyw go iawn am y tro cyntaf ers hydoedd. Yn gweld y lliwiau ac yn synhwyro'r arogleuon ac yn teimlo'r oerfel yn herio fy nghroen.

Dwi'n troi i fyny'r llwybr bach i'r Roman Camp. Parc ydi o, hen safle lle'r arferai'r Rhufeiniaid fyw, yn ôl ei enw. Dwn i ddim, wnes i ddim mynd ar ôl hanes y lle erioed. Mae'n oer ar y copa, a gallaf weld yr holl ffordd i lawr i'r Fenai, a'r pier yn ymestyn am Sir Fôn.

Heddiw, rŵan, dwi'n casáu'r cyfan. Y môr a'r tir, dail tlws yr hydref, y stiwdants, yr adeiladau, yr awyr glir. Fy nhŷ i, tŷ Mam, tŷ Einir. Einir a Mam. A fi.

Dwi'n clywed sŵn y tu ôl i mi. Mae dynes ar y llwybr yn mynd â'i chi am dro – un o'r cŵn bach gwirion yna, cyrff bach crwn a thrwynau fflat. Mae'r trwyn fflat yn ei gwneud hi'n anodd i'r math yma o gi anadlu, ac mae o'n chwyrnu, fel rhywun yn cael pwl o asthma.

Bitsh wirion ydi'r ddynes am gael ffasiwn gi. Mae hi'n gwenu'n glên arna i wrth basio, a gwenaf innau'n ôl.

'Del ydi o,' meddaf, gan nodio at y ci.

'Yndi! 'Mabi fi!' Ac mae'n cerdded yn ei blaen.

Syllaf ar ei hôl. Os bydd hi'n parhau i gerdded ar hyd y llwybr, bydd hi'n dod i lecyn coediog wrth y dŵr, yn bell o bob man.

Dwi'n edrych o'm cwmpas. Does neb arall ar gyfyl y lle.

Mae hi fymryn yn hŷn na fi, dwi'n meddwl – yn ei phedwardegau cynnar? Ac mae ganddi ormod o feddwl ohoni hi ei hun – gwallt wedi ei lifo'n olau, colur ar ei llygaid a'i cheg, corff sydd wedi treulio gormod o amser yn y gampfa. Mae hynny, a'r ci bach gwirion, yn gwneud i mi ddod i'r casgliad bod delwedd hon yn obsesiwn ganddi. Mae angen dysgu gwers iddi.

Dwi'n gwybod beth fyddwn i'n ei wneud iddi yn y coed. Mi fedra i weld yr olygfa yn fy mhen, y dail crin yn ei gwallt, a'r ci bach yn eistedd wrth ei chorff llonydd, ei anadl yn chwyrnu'n drwm drwy ei drwyn smwt.

Dwi'n troi ar fy sawdl ac yn mynd am adre. Wrth gwrs, fyddwn i byth yn brifo dynes fel 'na go iawn. Wnes i 'rioed frifo neb yn fy mywyd.

Boi iawn ydw i.

PENNOD 11

TREFNAIS I GWRDD Â hi mewn bwyty ym Mhorthaethwy. Ro'n i'n gwybod, erbyn hynny, ei bod hi'n amser rhoi'r gorau i bethau, a symud ymlaen efo'r cynllun. Doedd hi ddim yn mynd i fodloni ar berthynas drwy negeseuon am byth.

Dwi'n methu aros i gael dy weld di o'r diwedd! 'Rioed 'di bod mor nerfus yn fy mywyd… E XX

Na finna! Mi fydda i'n gwisgo siwt lwyd. Isio dy ddal di yn fy mreichiau… xx

Byddwn i wedi rhoi'r byd am gael mynd yno, i'r bwyty bach, a'i gwylio hi'n aros am Boilawn27 yng ngolau'r gannwyll. Fedrwn i ddim, wrth gwrs. Byddai wedi bod yn ormod o gyd-ddigwyddiad fod y dyn dros y lôn yn yr un bwyty ar yr un noson. A beth bynnag, doedd gen i neb i fynd efo fi.

Fe'i gwyliais yn gadael y tŷ ac yn dringo i mewn i dacsi. Roedd hi'n gwisgo ffrog goch, a gormod o golur. Dwi ddim yn meddwl i mi ei gweld hi'n edrych fel 'na o'r blaen, mor goman, ac roedd y cyfuniad o ffrog goch a llygaid duon yn gwneud iddi edrych fel dawnswraig mewn clwb dynion mewn rhyw ddinas bell i ffwrdd.

Eisteddais wrth y ffenest, yn meddwl amdani'n mynd yn y tacsi, yn cyrraedd y bwyty, yn dweud ei henw wrth y ferch oedd yn gweini. Dychmygais hi'n eistedd wrth fwrdd ar ei phen ei hun gyda gwydraid o win gwyn, yn gwylio'r drws. Ac yn gwylio. Ac yn gwylio. Edrych ar ei ffôn i weld a oedd Boilawn27 wedi anfon neges i ddweud ei fod o'n rhedeg yn hwyr, ond doeddwn i ddim. Wrth i ddeg munud droi'n ugain, ac i ugain munud droi'n hanner awr, gallwn ddychmygu Einir yn eistedd, yn teimlo'n chwithig yn ei dillad crand, yn sylweddoli nad oedd o am ddod.

Dyna pryd anfonais i'r neges.

Wel, dim ond anfon y neges yn ôl ati roeddwn i – llun roedd hi wedi ei dynnu ohoni hi ei hun yn fronnoeth yn ei gwely. Doedd dim rhaid i mi ddweud dim byd. Byddai'n gwybod bod Boilawn27 wedi ei thwyllo, wedi cael y gorau arni. Byddai'n gofyn i staff y bwyty ffonio am dacsi i fynd â hi adre.

Daeth Einir adre tua awr ar ôl iddi adael. Doedd hi ddim yn crio, fel roeddwn i wedi'i ddisgwyl, ond fe'i gwelais yn pwyso dros y sinc yn ei chegin, yn cyfogi pob dim oedd ynddi i'r fowlen fetel. Bechod drosti. Einir, druan.

PENNOD 12

3.04

DYDW I DDIM WEDI cysgu heno. Mae'r cyffro'n ormod.

Dwi wedi tynnu lluniau noethion Einir oddi ar y waliau yn y llofft fach, ac wedi eu rhoi ar y silff mewn ffolder o'r enw 'Trethi 2007–2008'. Heblaw am un. Dwi wedi plygu hwnnw, a'i roi mewn amlen. Mae'r amlen yn mynd ar fwrdd y gegin, rhwng yr halen a'r pupur.

Mae'r dre'n cysgu.

Mae fy stumog yn dechrau cyffroi wrth i 3.17 nesáu. Dwi'n siŵr fod hyn yn mynd i weithio, fod pethau'n mynd i fod yn iawn, 'mod i'n teimlo'r un nerfau ag a deimlwn petawn i ar fin mynd allan ar ddêt. Dwi wedi cael cawod, wedi eillio. Wedi newid cynfasau fy ngwely, rhag ofn. Dwi'n gwisgo crys-T du a *boxer shorts* du, am 'mod i'n meddwl mai dyna mae dynion atyniadol yn eu gwisgo yn y gwely.

3.17

Mae'r golau'n dod ymlaen yn ei llofft. Rydw i'n codi ffôn BoiIawn27, yn anfon y neges destun, ac yna'n ei ddiffodd.

Pam mae'r golau ymlaen yn dy lofft, Einir?

Yna, mor sydyn ag y medra i, dwi'n rhedeg i lawr y grisiau ac allan i'r stryd, ac yn gweiddi 'Heeeeei!' i gyfeiriad y lôn fawr, fel petawn i'n gweiddi ar ôl rhywun. Mae ambell olau'n dod ymlaen mewn ambell lofft, a wynebau'r cymdogion yn ymddangos yn eu ffenestri.

Mae Einir yn agor ffenest ei llofft. Mae hi'n edrych fel drychiolaeth.

'Shit, Einir! Roedd 'na foi... Boi efo cyllell!'

Mae Einir yn codi ei ffôn i edrych arno eto, y neges a gafodd ychydig eiliadau yn ôl yn dal i oleuo'r sgrin.

'Plis... Ga i ddod i aros efo chdi?'

8.57

Mae hi'n cysgu yn fy ngwely i, a finnau'n cysgu yn y llofft sbâr – dwi'n mynnu. Er mawr syndod i mi, mae hi'n cysgu'n syth, gan chwyrnu'n ysgafn. Dwi'n ei gwylio hi am ychydig, yn sefyll wrth ddrws y llofft, yn edrych arni yn fy ngwely i. Mae'n edrych mor berffaith yno.

Pan ddangosais i'r amlen iddi, a dweud wrthi fod rhywun wedi postio'r llun noeth drwy fy nrws yn gynharach y noson honno, doedd hi ddim yn edrych fel petai hynny'n syndod iddi o gwbl. Nodiodd yn flinedig, a dweud, 'Wel, mae pwy bynnag sy'n gwneud hyn wedi 'ngweld i'n dod draw yma. Falla'u bod nhw'n meddwl bod rhywbeth yn mynd ymlaen.' Doedd gen i ddim ateb i hynny, am fod yr awgrym y gallai rhywbeth fod rhyngon ni mor ofnadwy o hyfryd.

Y bore yma, am hanner awr wedi pump, teimlais ei chorff yn llithro i mewn i'r gwely sbâr efo fi, ei chynhesrwydd yn drwm ar fy nghorff i. Roedd hi'n bwrw y tu allan, glaw mawr swnllyd, ac fe chwiliodd Einir am fy ngheg gyda'i gwefusau, heb ddweud gair. Roedd ei chorff yn fwy meddal nag yr oeddwn i wedi'i ddisgwyl, a'i harogl yn llai melys. Ond doedd dim ots, dim go iawn. Roedd hi wedi dod ata i, yn y diwedd, fel roeddwn i'n gwybod y byddai hi.

Eisteddodd Sali ar sìl y ffenest a'i chefn

aton ni, yn syllu allan ar dŷ gwag Einir.

'Mi fyddwn i wedi bod ar goll hebddot ti, sti,' meddai wedyn, yn hanner sibrwd wrth orwedd yn fy mreichiau. 'Dwi jyst ddim isio bod ar ben fy hun ddim mwy.'

'Does dim rhaid i chdi fod ar ben dy hun rŵan, nag oes?'

'Go iawn?'

'Go iawn.'

Peidiodd y glaw y tu allan. Gafaelais ynddi'n dynn, dynn, dynn.

PENNOD 13

WYTH MIS YN DDIWEDDARACH

ROEDDWN I WEDI BOD yn y gampfa. Pan ddes i adre, dyna lle roedden nhw, ar fwrdd y gegin.

Mae'r lle wedi newid. Mae ei stwff hi i gyd yma rŵan, yn llyfrau a DVDs a dillad. Ar ôl iddi symud i mewn, penderfynodd ddysgu ei hun sut i goginio, felly mae'r gegin yn llawn arogleuon a chynhwysion dieithr. Mae hi'n dda, hefyd, chwarae teg iddi. Mi wnaeth hi gyrri cig oen y noson o'r blaen pan ddaeth Mam draw, ac roedd hyd yn oed honno'n canmol.

Roedd y bwrdd wedi ei osod am bryd o fwyd pan ddes i adre, gwydrau yn aros am win, cannwyll wedi ei chynnau ynghanol y bwrdd. A dyna lle roedd y ffolder, 'Trethi 2007–2008', gyda'r lluniau ohoni'n noeth yn bentwr taclus arno. Sefais yn y drws, heb syniad yn y byd beth i'w wneud. Roedd popeth ar ben.

Roedd hi'n gwybod mai fi oedd BoiIawn27.

Edrychais arni. Doedd hi ddim wedi ymateb i mi o gwbl, dim ond dal ati i goginio a thacluso. Roedd arogl sbeisys yn drwm yn y gegin.

Wnes i 'rioed dy frifo di. Fyddwn i ddim wedi dy gyffwrdd di. Dwn i ddim pam wnes i o. Nid fi oedd hwnna, ddim go iawn. Paid â gadael i hyn newid petha, 'dan ni mor hapus efo'n gilydd.

Ond yr unig beth ddywedais i oedd, 'Do'n i ddim yn gwybod sut arall i dy gael di.'

Trodd Einir i edrych arna i. Roedd rhywbeth gwag yn ei llygaid, fel petai darn ohoni wedi mynd. Yna, gwenodd yn llydan.

'Bydd y bwyd yn barod mewn rhyw ddeg munud. Wyt ti am newid gynta?'

Sefais yn llonydd. Yn syllu arni. Pylodd ei gwên ar ôl ychydig, a dywedodd yn dawel, 'Dwi jyst isio bod yn rwbath i rywun.'

'Ti'n bob dim i fi,' atebais yn syth. Nodiodd Einir, a gwyddwn wedyn fod hynny'n ddigon iddi. Waeth beth oeddwn i, na beth roeddwn i wedi ei wneud, roedd unrhyw un yn well na neb.

Erbyn i mi ddod yn ôl i lawr y grisiau,

roedd y ffolder a'r lluniau yn y bin gwyrdd y tu allan, ac Einir yn rhoi'r swper ar blatiau. O gornel y gegin, syllodd Sali arna i gyda'i llygaid gleision, oer.

Hefyd yn y gyfres:

Stori Sydyn

£1
yn unig

Rhwng y Pyst

Owain Fôn Williams

y Lolfa

£1
yn unig

GORAU CHWARAE
CYDCHWARAE

DYLAN EBENEZER

Llongyfarchiadau ar gwblhau un o lyfrau Stori Sydyn 2017

Mae prosiect Stori Sydyn, sy'n cynnwys llyfrau bachog a byr, wedi'i gynllunio er mwyn denu darllenwyr yn ôl i'r arfer o ddarllen, a gwneud hynny er mwynhad. Gobeithiwn, felly, eich bod wedi mwynhau'r llyfr hwn.

Hoffi rhannu?

Gall eich barn chi wneud y prosiect hwn yn well. Nawr eich bod wedi darllen un o lyfrau'r gyfres Stori Sydyn, ewch i www.darllencymru.org.uk i roi eich sylwadau neu defnyddiwch @storisydyn2017 ar Twitter.

Pam dewis y llyfr hwn?

Beth oeddech chi'n ei hoffi am y llyfr?

Beth yw eich barn am y gyfres Stori Sydyn?

Pa Stori Sydyn hoffech chi ei gweld yn y dyfodol?

Beth nesaf?

Nawr eich bod wedi gorffen un llyfr Stori Sydyn – beth am ddarllen un arall? Edrychwch am deitl arall cyfres Stori Sydyn 2017.

Rhwng y Pyst
– Owain Fôn Williams